¡Plaf!

Para Belinda, Bob, Anne,
y todos los que luchan por proteger a
estos animales en su hábitat.

Acknowledgments

¡Plaf!, originally published as *Splash!*, by Flora McDonnell. Copyright ©
1999 by Flora McDonnell. Reproduced by permission of Candlewick
Press Inc., Cambridge, MA.

Photography

29 Alen G. Nelson/Animals Animals **30** Gary Randall/FPG
International **31** Arthur Tilley/FPG International **32** Mitsuaki
Iwago/Minden Pictures **33** J & B Photographers/Animals Animals
34 Bradley Smith/Animals Animals **35** (b) Howie Garber/Animals
Animals **35** (l) Julie Habel **35** (r)Andy Sacks/Tony Stone Images

Houghton Mifflin Edition, 2003

PRINTED IN THE U.S.A.

ISBN: 0-618-22840-3

4 5 6 7 8 9-UG-11 10 09 08 07 06

¡Plaf!

Flora McDonnell

HOUGHTON MIFFLIN   BOSTON • MORRIS PLAINS, NJ

California   •   Colorado   •   Georgia   •   Illinois   •   New Jersey   •   Texas

¡Calor, calor, calor! Los elefantes tienen calor.

3

Tigre tiene calor.

Rinoceronte tiene calor.

Sigamos al elefantito
hasta el...

agua.
Refrescante agua.

Agua para beber. Agua para...

¡salpicar,
salpicar,
salpicar!

¡Plaf!
hace Mamá Elefante.

15

¡Pluf!

hace Rinoceronte.

¡Plif!
¡Pluf!
hace Tigre.

¡Plaf!

¡Plaf!

Ya Tigre se siente fresco y feliz.

Ya Rinoceronte se siente fresco y feliz.

Ya Mamá Elefante se siente fresca y feliz.

24

¡Qué listo el
elefantito!
Y el elefantito
también se
siente ¡fresco
y muy feliz!

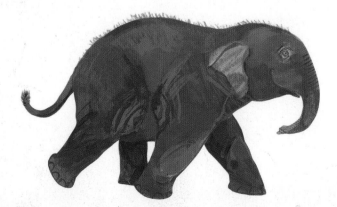

Los animalitos juegan

¿Cómo se llama un gato bebé?

¡Gatito!

A este gatito le gusta subir.

¿Cómo se llama un perro bebé?
¡Cachorrito! A este cachorrito
le gusta masticar.

¿Cómo se llama una cebra bebé?
¡Potro!
A este potro le gusta correr.

¿Cómo se llama un tigre bebé?
¡Cachorro!
A este cachorro le gusta luchar.

¿Cómo se llama un elefante bebé?
¡Cría!
A esta cría le gusta chapotear.

Aquí hay más animalitos bebés. ¿Sabes cómo se llaman?

1. patito
2. cochinito
3. cabrito